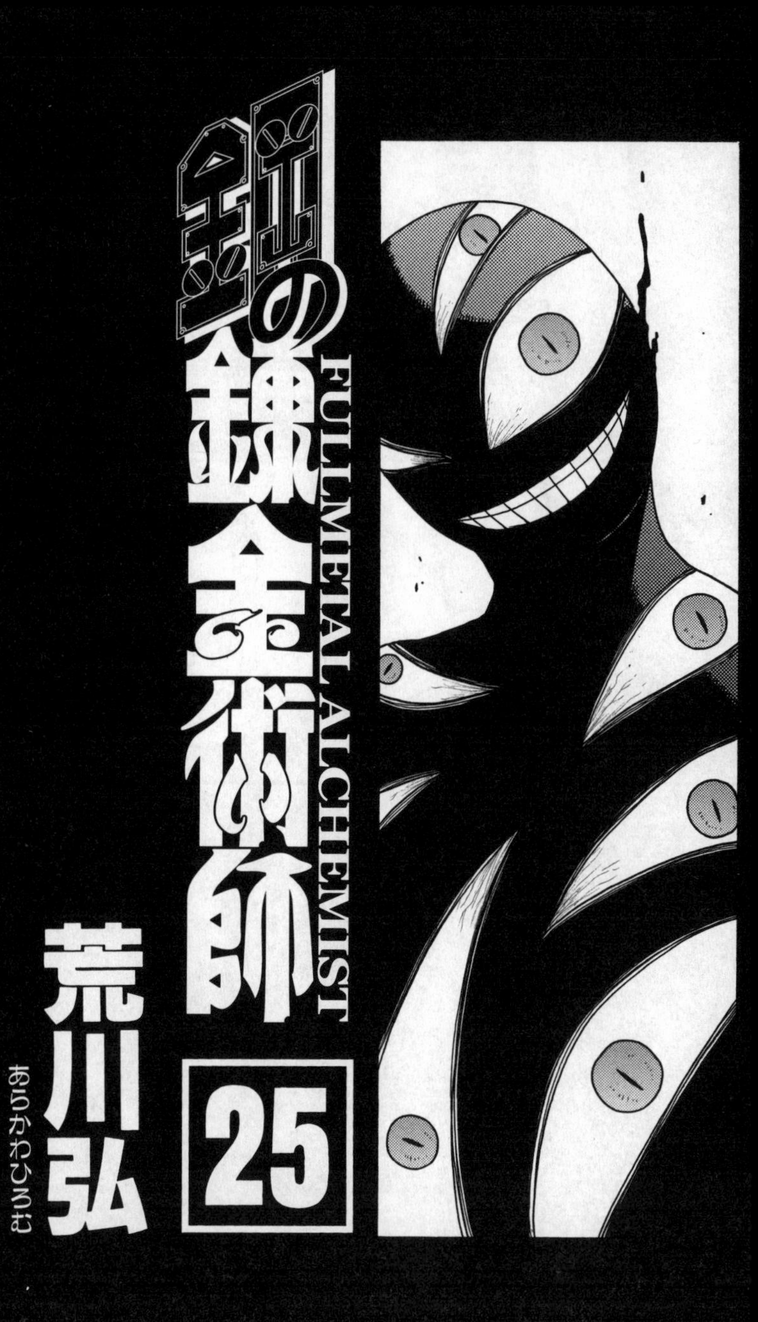
鋼の錬金術師
FULLMETAL ALCHEMIST
25
荒川弘
あらかわひろむ

アルフォンス・エルリック
Alphonse Elric

エドワード・エルリック
Edward Elric

アレックス・ルイ・アームストロング
Alex Louis Armstrong

ロイ・マスタング
Roy Mustang

OUTLINE
FULLMETAL ALCHEMIST

エドワードとアルフォンスの兄弟は、
幼き日に喪った母を錬金術により蘇らせようと試みる。
しかし、錬成は失敗しエドワードは
左足と弟のアルフォンスを失ってしまう。
なんとか自分の右腕を代償にアルフォンスの魂を錬成し、
鎧に定着させる事に成功するが
その代償はあまりにも高すぎた。
そして兄弟はすべてを取り戻す事を誓うのだった…。

FULLMETAL ALCHEMIST

■ セリム・ブラッドレイ(プライド)

Selime Bradley(Pride)

■ スカー

Scar

■ オリヴィエ・ミラ・アームストロング

Olivier Mira Armstrong

■ キング・ブラッドレイ

King Bradley

■ メイ・チャン

■ ヴァン・ホーエンハイム

CONTENTS

ドドド
ドド

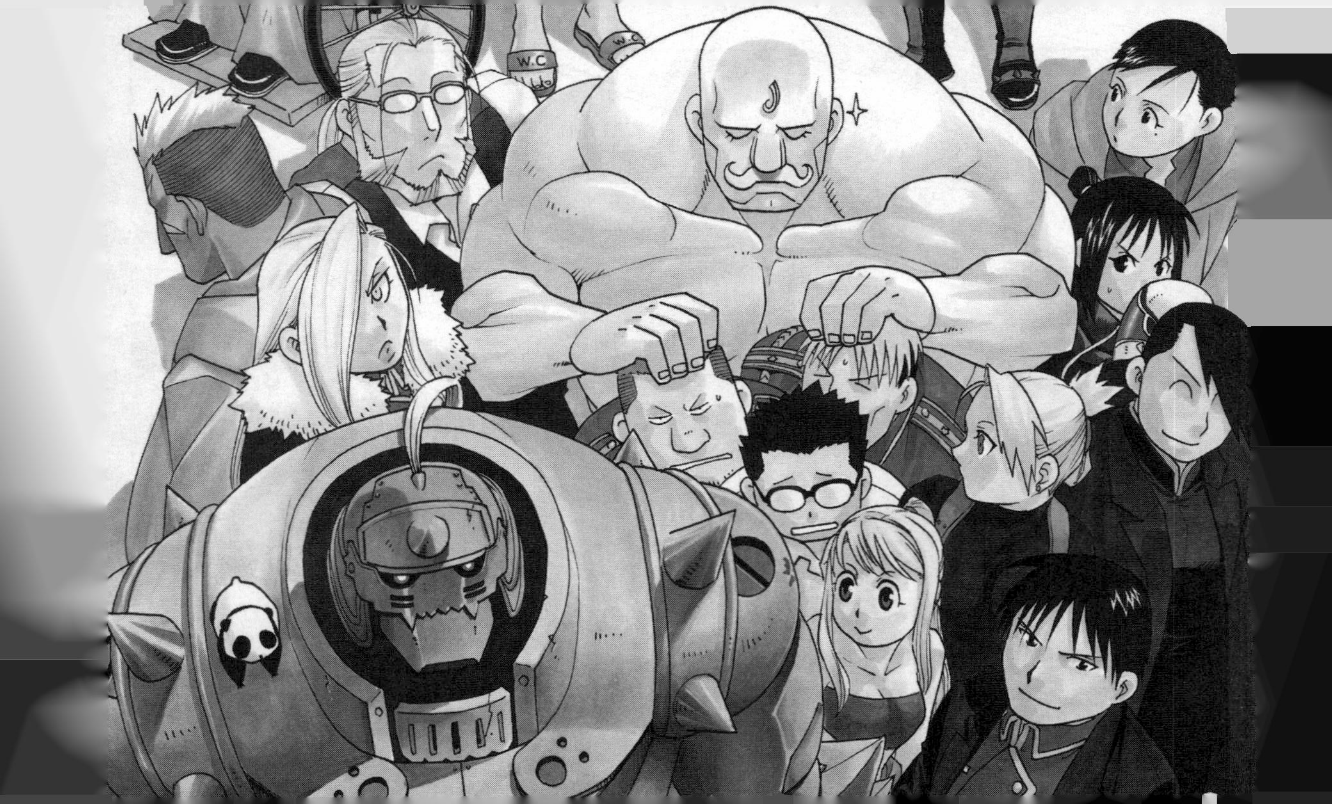
W.C

第100話
開かずの扉

FULLMETAL
ALCHEMIST

ズズ
ズズ
ズ
ズ
ズズ
ズ
ズズ
ズズ
ズズ
ズズ
ズズ
ズズ
ズズ
ズズ
ズズ

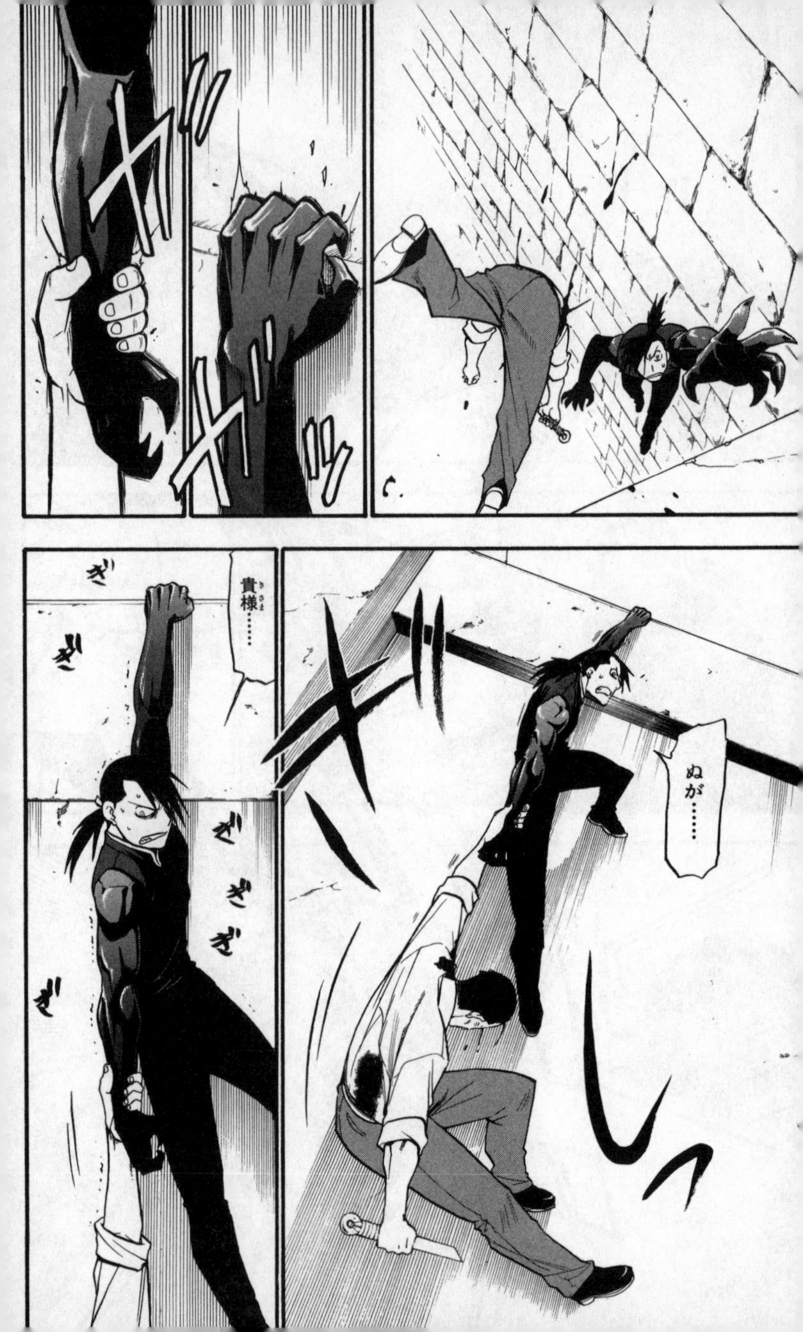
ギャ
ガ
ギッ
貴様……
ぎぎぎぎぎぎ
ぬが……

ズズズ
ズズ
……
ガッ!!
……!!!

ぎし…
ギ…
ぐ………
ビキ
馬鹿野郎!!
こっちは放っとけ!!
若ヲ……
お守りするのが
我らの仕事ッ…
ビシッ
ビキッ
義手で
この重さを
支えるのは
無理だ!!
ボタッ
ボタタッ
おまえは
じいさんの
心配を……

もウ……
間に合わなイ……
ポツ

ブリッグズ兵!!
手を貸セ!!
!
ダッ
おうっ!!
ブラッドレイ!!
これで……終わりだ!!
ビッ
ザン
ドン
あがっ

ビィィィッ
ぬ……
ずるっ……
ドボォン
ゴォ
ボボボ…

ゴボッ
フー!!
誰か
医者…
錬金術の使える
医者は
いないのカ!!
賢者の石が
ここにあるんダ!!
いくらでも
使ってくレ!!

誰かたのム!!
誰カ!!
ここは錬金術大国だロ?
誰かいないのカ!!
なんでダ!!
なんでダ…

ドドーン
ダダーン
ダーン
若!!
伏せてください!!
………なんでだ…
俺が得たこれは
不老不死になれる物じゃないのかよ…!!

ゴボッ
大尉!!
大尉
気をしっかり!!
すまなイ
その傷も
治してやれなイ…!!
貴方のおかげで
ブラッドレイに
致命傷を
負わせられタ…
フーの死が
無駄では
なくなったと
いうのニ…
俺は貴方に
何もしてやれなイ…
中央兵の
第二波が
来るぞ!!
チュン

ドン
今ので弾切れです!!
ドゴォォォォ
もう保ちません!!
大尉!
大尉きこえますか!!
グリード…とかリン・ヤオとか言ったな…
恩義に思ってるならひとつ頼まれてくれんか
この扉…
うちの女王様の命令があるまで開けられん事になってんだ
頼む…
守ってくれ…

おまえの力ならやれるだろう
いや
おまえにしかできないから頼む
…グリード
あ?

力が欲しイ
貸してくレ
……
いいぜ
ランファンはここの者達を守れ
!
…はっ!
こっちの予定まであと少し時間がある
やってくれるか
あア
約束すル

バキ
バキ
シンの人間(にんげん)ハ
盟約(めいやく)を必(かなら)ず守(まも)ル
バキ
バキ
撃(う)てぇ!!!
ガガガガ
ガガガ
ガガガガ
……え?

ケガしたくない者！
家族・恋人のいる者は下がレ!!
あと女!!!
俺は女と闘う趣味は無え!!!

ひるむな!!
撃て撃て!!
あがぁっ

ドカ
ガッ
ガ
ガガ
わっ
わっ
行け!!
ひき殺せ!!
ゴ
ガ
倒れろ化物——っ!!

ひっ…
ギッ
わわわ!!
うう…
ゴホ

すごい…
リン・ヤオ…
いや
人造人間(ホムンクルス)か…?
ズバ

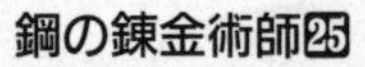

味方につけると
なんと
頼もしい…

うむ…
これで
安心して
くたばれる
大尉!!
しっかりしてください!!
この闘いに
アームストロング少将が
勝てば
貴方は英雄です!
中央で
今まで以上に
活躍して
いただかないと!
ふん…
中央の
煤けた空は
肌に合わん
さらばだ
同志

ブリッグズの峰より
すこし高い所へ
先に…
行ってるぞ…

ラジオ・キャピタルの続報は無いの？
他の局は？
外出禁止を呼びかけてるだけだよ
ざわ
ざわ
こっちの方まで飛び火して来ないでしょうね…
ママ〜〜〜
今日タバサちゃんちでにっしょく見るやくそくしてたのに…
外に出ちゃダメってラジオで言ってるから
タバサちゃんちはあきらめましょうエリシア
もうすぐ始まるからママと一緒に見ようね
日蝕
ざわ
ざわ
ざわ

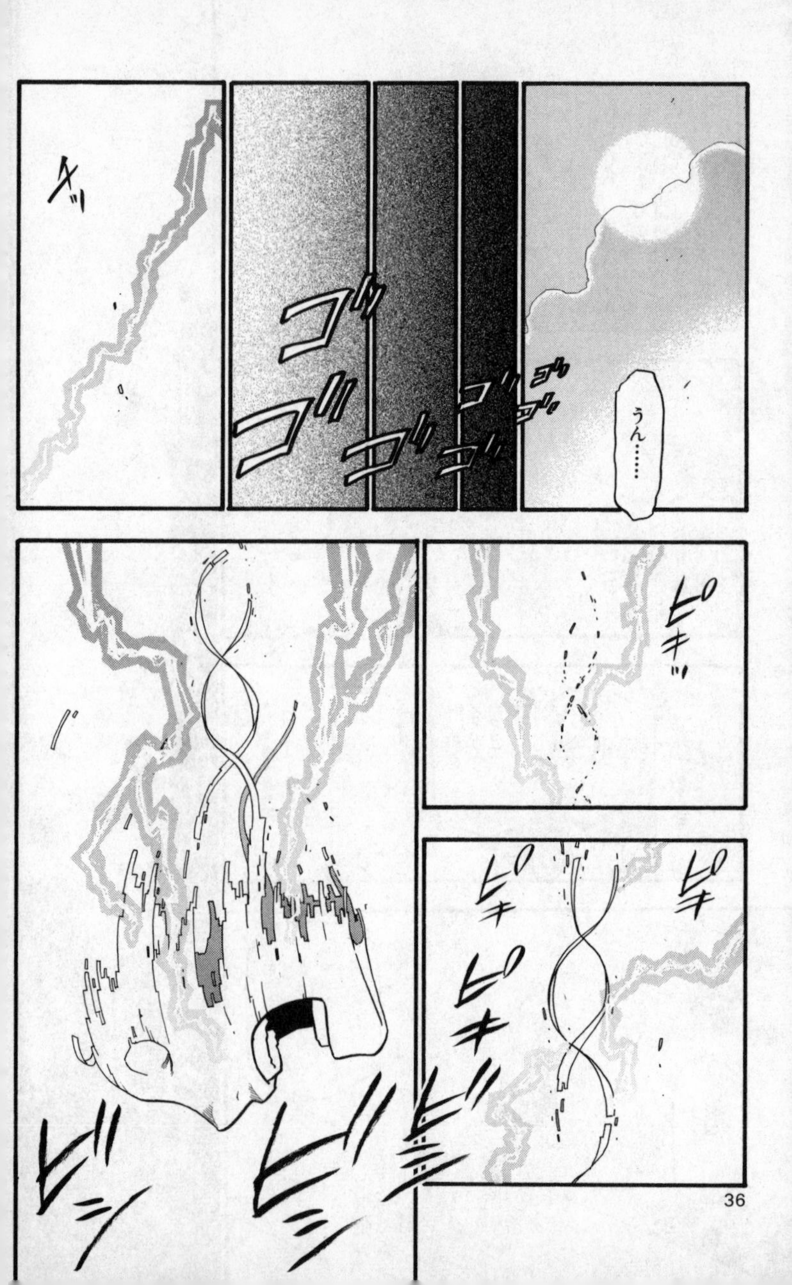
うん……
ゴゴゴゴ
ゴゴ
キッ
ピキッ
ピキ
ピキッ
ピキ
ビビビ

ぶはぁ!!
ドゴゴゴ
ぐえっ!
てて…

師匠!!
あでで…
大丈夫ですか!
あた～…
パリッ
ああ
なんとか…
アル!?

何!? 何!? どうなってんだ おい!!
ここはどこなんだ エド!
こっちが訊きたいですよ!
おい アル! しっかりしろ!!
1
2
3…
4人か
ひとり足りんな
ずしー

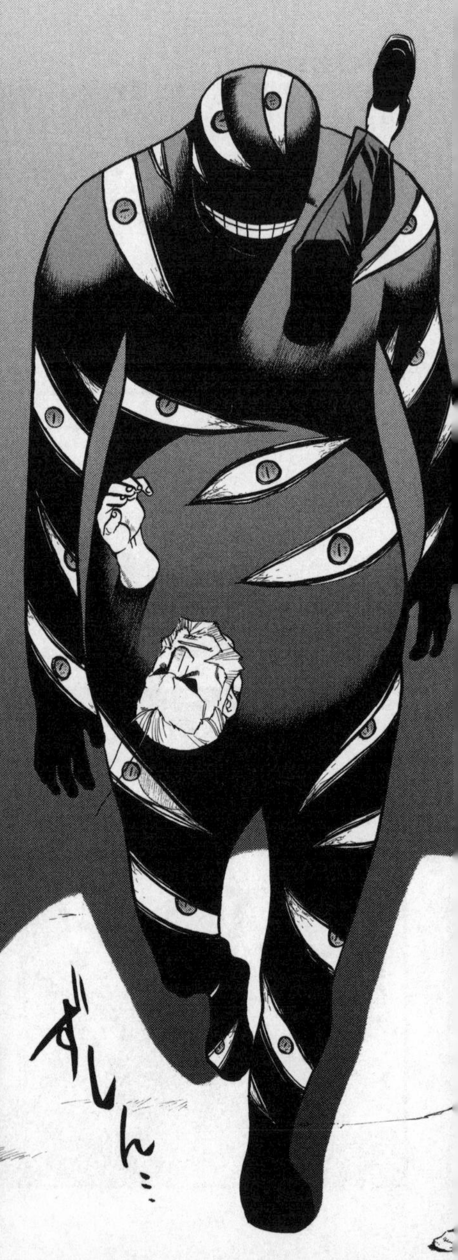
ずしん…

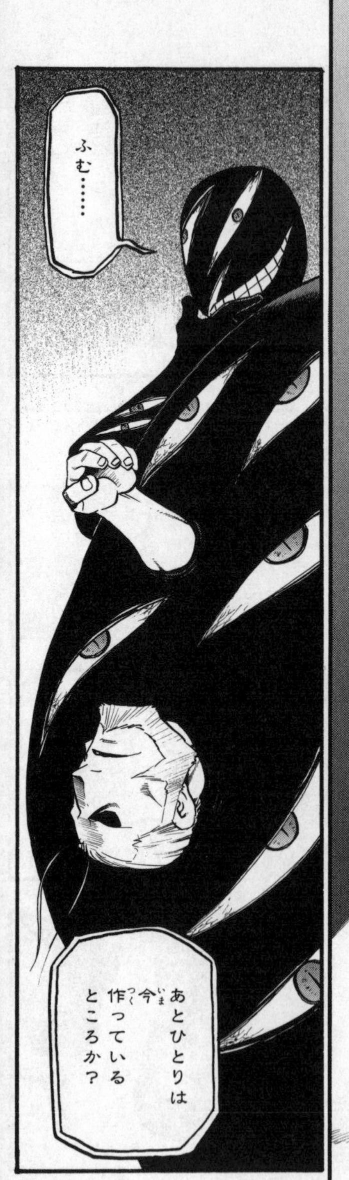
ふむ……
あとひとりは今作っているところか？

ホーエンハイム⁉
エド…ワード…
アルフォンスまで捕まったのか…
おやイズミさんも
こんな情けない姿ですまないね
いやいやいやこれどうなってんのよ
ホーエンハイムの中の賢者の石を吸収してやろうと思ったのだがうまくいかなくてな
とりあえずこうして大人しくしてもらっている
つーか…
真っ黒いおまえは何者なんだよ!

俺の分身…
人造人間達に
「お父様」と
呼ばれていた
奴だよ
は!?
あのヒゲ!?
何がどうなって
こんな外見に
なってんだよ…
余計な事は
喋るな
ホーエンハイム
ずぶ
大人しく
していろ
ずぶ
…………
ずぶ
ずぶん
さて…
歓迎するぞ
人柱諸君

ようこそ
私の城へ
アル
起きろ!
こいつは
ヤバそうだ
アル!?
おい!?
アル!!
アルフォンス!!
ゴゴゴ
ゴゴゴ

ゴゴ
まったく
上の奴らの
当てにならん事と
いったらないね
ゴゴゴ
ゴゴ
ゴゴ
ズン
ガッ
この日に合わせて
たった
5人の人柱も
用意できんとは
……
ドガッ
ズガッ
ま
不老不死とか
そんな小さいエサに
食い付いてきた
輩ばかり
揃えたのだから
仕事ができなくて
当たり前か
ジャ
ジャッ
ドン
ド

ドッ
ガガガガガ
ビッ
ガッ
ガ
ドガッ
ちっ

ドドドドッ
ズン
ジャキッ
このっ…
ヒュ

ギョロ
ドッ
シャァ
よーし
いいぞ
パーン
そのまま
パーン
!?

ラジオ局にいるものかと思っていたがわざわざ出向いてくれるとはね
時間が無いので助かるよマスタング君
君
ちょっと人体錬成して扉を開けてくれないかね

なんだと?
誰でもいいよ
亡くなった親…
恋人…
友人…
君と仲が
良かった…
なんと言ったっけ
ヒューズ君?
とか?
あれでもいいよ
段取りは
こちらで
してあげるから
人柱…と
いうやつか
そう
人体錬成は
成功しないと
エルリック兄弟に
聞いた
失敗すると
わかっていて
やるバカがいるか
うん
そうだね

扉さえ開けて
戻って来てくれれば
それでいいんだよ
断る!!
人体錬成は
せん!!
扉も
開けん!!
言ったよね
時間が
無いって

ズ

中尉!!!
さあ
扉を開けてみようか
マスタング君

FULLMETAL
ALCHEMIST

ゴウン
ゴウン
ゴウン
ゴウン
ゴウン

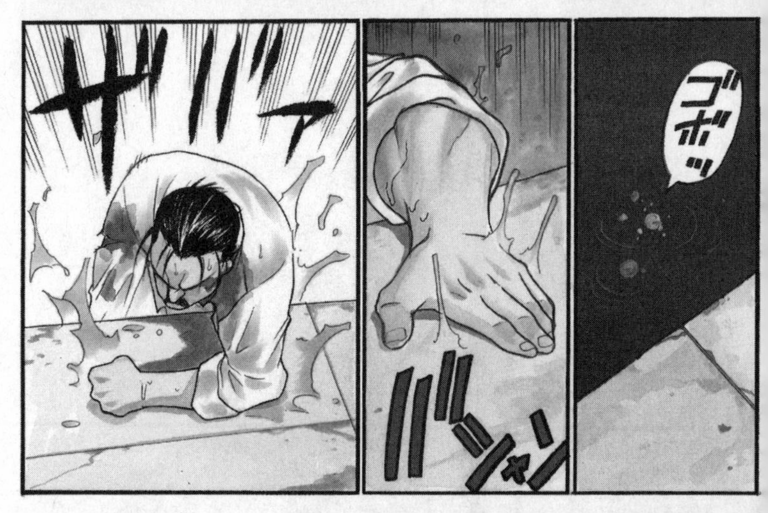
ゴボッ
バシャン
ザバァ

ピチョン

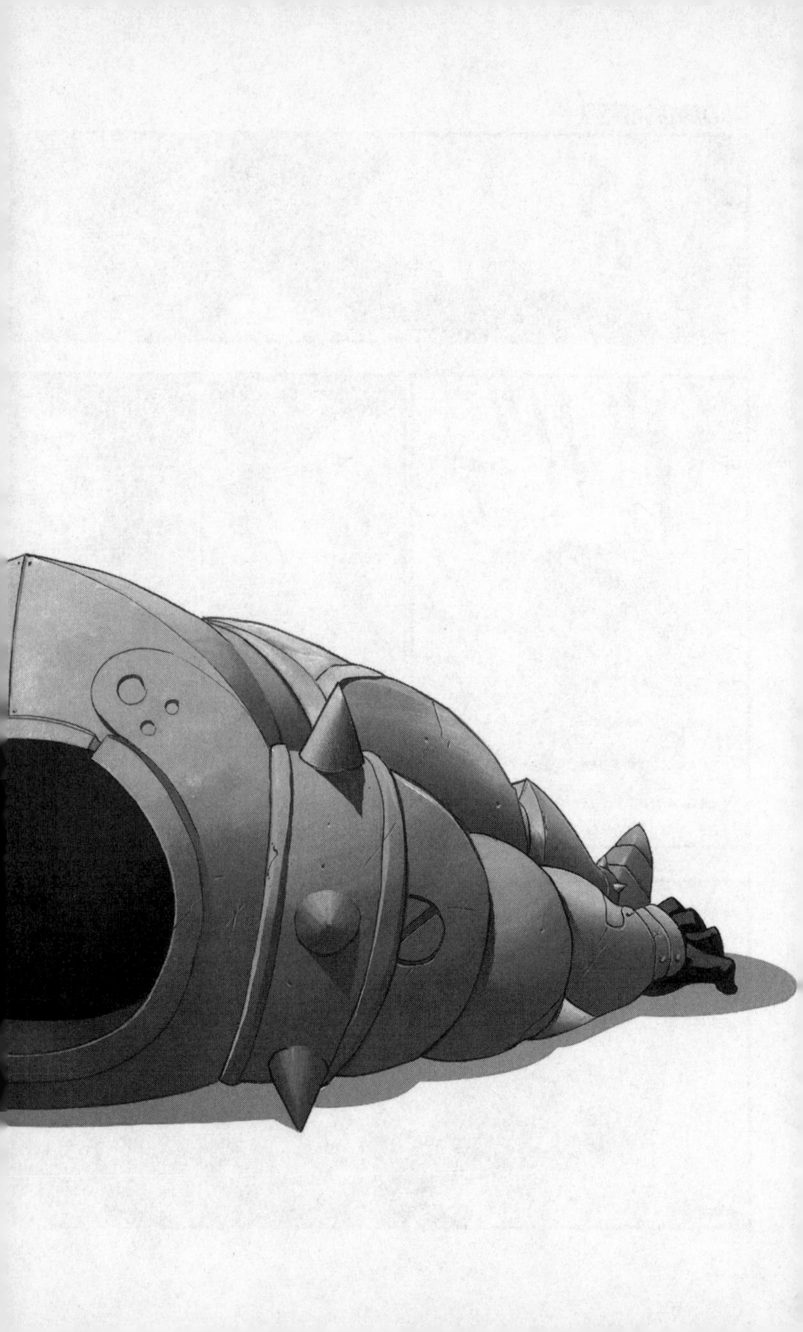

第101話
5人目の人柱

FULLMETAL
ALCHEMIST

イズミ!!
どこだ
イズミ!!
イズミ・
カーティスが…
消えた……
本部に何か
情報は
入っていないか!?
はっ!
こちら
アームストロング隊
本部にまだ
誰かいますか!?

………!!
わかるかアレックス
むう…
以前エルリック兄弟に聞いた事があります
人体錬成をした時黒い手によって真理の扉に引きずりこまれた…と
真理の扉とはなんだ!?
それぱかりは見た事のある者にしかわかりません
少将
は……
本部に変化はありませんが…

正門の
バッカニア大尉が
部下数名とともに
キング・
ブラッドレイとの
戦闘において
死亡しました
シン国の者と
協力し
ブラッドレイに
致命傷を与え
堀に突き落とした
そうです
……バカな……
バカな
バカな
バカな!!
あの
キング・ブラッドレイが
そんな簡単に
死ぬものか!!

あれは人外の…
正門はどうなった
まだ守られています！
グリードとかいう人造人間が味方につき正門中央兵をなぎ倒しました！
バカな…バカな…
人造人間が愚かな奴らに味方するなど…
命令通りいまだ門は開けられていません！
バッカニア大尉は
笑って逝かれたそうです

そうか
奴が笑って逝ったのなら
我らが泣く訳にはいかん
進もう

シグさん
行きましょう
貴方の奥方も
捜さねばならない
中尉!!

中尉しっかりしろ!!
私の声が聞こえるか!?
返事を!!中尉!!
決めてくれたかねマスタング君
ビキビキ
みしみしっ
みしみし
貴様ぁああああああ

中尉
返事をするんだ!!
ズドッ
中尉!!
ドサッ
さあ
さっさと人体錬成をやってみようか!
ぱん
ぱん
誰を錬成する?
家族?
友達?
恋人?
この女が死んだら錬成するかね?
それでもいいよ

死なないわ…
私はね…
命令で死ねない事になってるのよ
そんなので死なない身体が手に入るなら人間苦労しないよ
どうする？
マスタング君
君の大事な女が死にかけている
放っておけばすぐ失血死
だが……

私は
錬金術の
使える医者で
なんと
賢者の石まで
持っている
さぁ
君のとるべき
選択は？
おや？
大人しく
なったね
死んで
しまったかな？
……………!!!
……大佐……

人体錬成なんてする必要ありません
するでしょ?
マスタング君
は
は
は
は
は

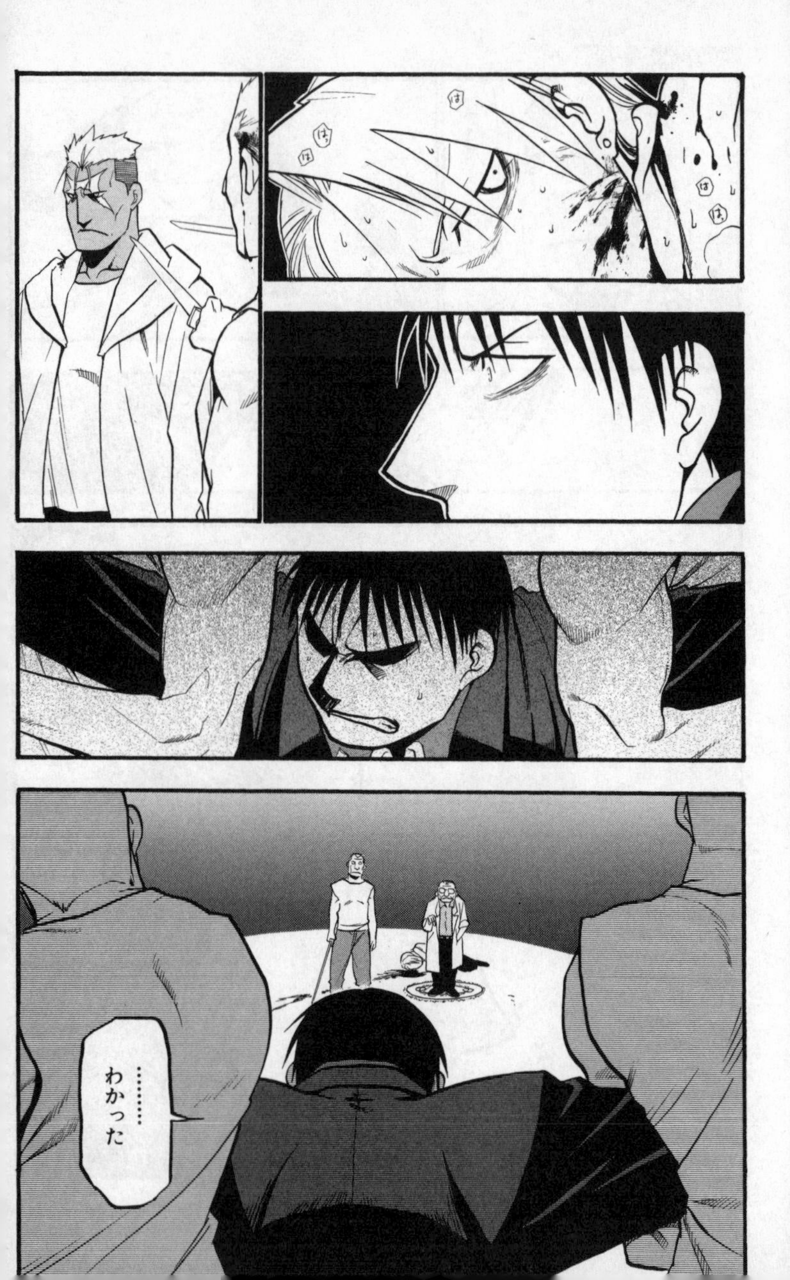
……わかった

おお！やってくれるかね！
わかったよ中尉
人体錬成はしない
見捨てるのか？
冷たいね君
見捨てる？
この大総統候補達を捨て駒のようにあつかう貴様に言われたくないな

親に捨てられそのままでは死んでいたであろう者達に食事を与えた
一流の教育を与えた
そして存在意義を与えた
この者らは私に感謝しているだろうよ
そんなだから貴様は足元をすくわれるのだ
なに
を

！
消え……
コーーン
コン
コロ
コロ
ぎっ…
!!

なあああああああ!?
じゅ…
感謝しているかって?

まぁ
こういう時は
こんな便利な
身体にしてくれて
ありがとよ…と
作り主に
感謝するけどな
てめぇらみたいな
タイプは
正直
ぶっ殺したいね
いっ…今
この場で
錬金術の使える
医者は
私だけだ!!
私を殺せば
この女は
助からんぞ!!
わかっているのか!!
セリフが
三流以下だぜ
お医者サマ
よう

!?
ド
ド!

ド
ド
ド
ド

ガッ
!

賢者の石……!!
賢者の石ですっテ!?
ス
パ
ッ
カッ
あッ…
この…

どけえ!!
ぐ……
おおお!!
ヒュッ

穴の上から
だいたい話は
聴いてた！
こいつらは
まかせろ！
すまない…
たのむ！
中尉!!
しっかりしろ
中尉!!
目を開けろ!!
は
は
は
はっ
～～～～～～～ッ!!

ダッ
こっちが先(さき)でス!!
ここは任(まか)せテ!
ギュッ
ガッ
ガッ
バチィ

中尉!!
とりあえず出血を止めましタ あとはちゃんとした医者ニ!
う……
はー…
すまない… ありがとう…!!
大佐……
すみませ…
喋るな! 休んでろ!
私の目配せに…
よく気付いてくださいました
付き合い長いからな

それに「人体錬成なんてしたら撃ち殺してやる」
あんまりギュッてやったら傷口またひらいちゃいますヨ！
…ってな形相で君が睨むのでね
ドズン
ぷふう
皆すまない
助かった！
なにいいってことよ
そうダ！
賢者の石……

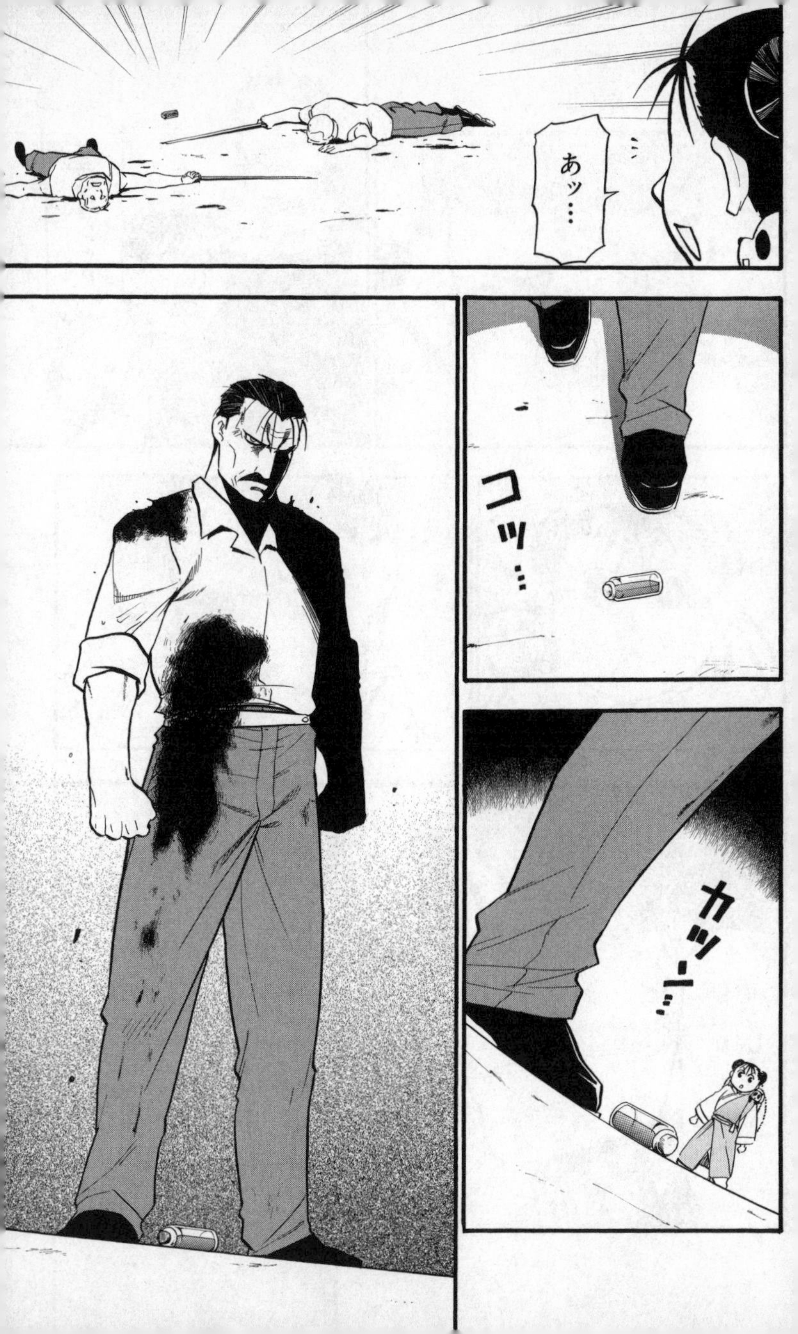

あッ…
コツ…
カツ―ン…

ブラッドレイ!!
あッ!
石…
うっ
ぴっ
ぎ…
!
ポタ…
傷口が再生していない…

君なら
目の前で
大切な者が倒れたら
迷い無く
人体錬成に走ると
思ったのだがね
少し前の私なら
そうだったかも
しれません

今の私には
止めてくれる者や
正しい道を
示してくれる者が
います
……
ふっふ……
いつまでも
学ぶ事を知らん
哀れな生き物かと
思えば
君達のように
短期間で学び
変化をする者もいる
まったく
人間というやつは…
ポタ…

思い通りにならなくて腹が立つ
！
！
……
どうした？
この下……
真下にいまス！

ぬっ…
この…
あのお方のジャマはさせん!
あきらめなじいさん
おまえはこの俺が…
!
ドシャ
ボタ
ボタ
なっ…!?

ドドドオッ
う……ぐお…
ジェルソ!!
にげ……ろ……
……
この感じは………
…ヤバイ
ずずず
ずずずず
マジで逃げだ!!
ザンパノ!ジェルソを!!

ぞ…
ぞぞそ
ぞぞ
ぞ

トッ
ぞる…

ズ
アッ
中尉をたのむ！
チィ

おおおあっっっ
大佐…!!
ぞっ
おわっ!!
は…
ぞぞぞぞ
よ…
よくやった
ブラッドレイ!!
さすがは
私が育てた…

ズン
ぞり
ぞり
ぞ
ぞぞ
ぞぞぞ
ぞ ぞぞぞ
ぞぞぞぞ
ぞぞぞ
ぞりぞぞ

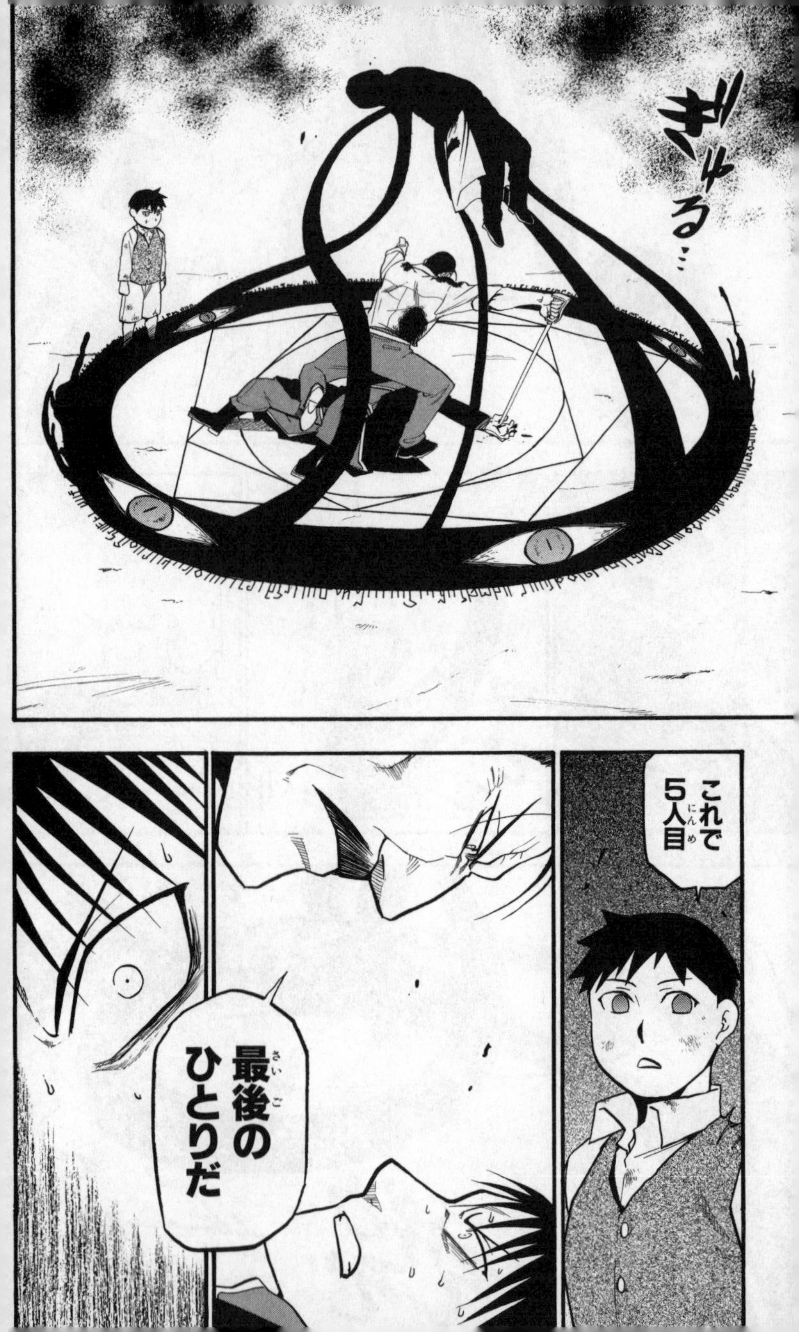
ぎゅるこ
これで5人目
最後のひとりだ

ギャ
ワン

ギャウーン
ギャウーン
わっ
ギャン
ギャーン
ギャン
ギャウン
まただよ
ワン
ワン
ワン
今日はなんだってこんなに街中の犬がやかましいんだ
ワンワン
ギャン
ギャワン
ギャン
ギャン
ああ…
!
ズズズ
日蝕が始まったのか
ギャーン
ギャン
ズズズズ

FULLMETAL
ALCHEMIST

ドドド
この手はあまり使いたくなかったのですが
仕方がありません
もう時間が無い
!?

第102話
扉の前

FULLMETAL
ALCHEMIST

強制的に扉を開けさせてもらうよ
マスタング大佐
人体錬成など…
君にその気が無くてもかまわん
その知識を持った錬金術師がプライドと同化済みだ
人体錬成の構築式は彼が持っている

な…
ずぞぞぞぞぞ
固定しました
ぞぞぞぞぞ
退いていなさい
ラース
ズズ…
ズズズ
ズズ
ぐっ…
ズズズズ
ゴッ
ゴ
さて

うおおおぉぉぉぉぉぉぉぉ
君はどこを持って行かれるかな
大佐!!
だめでス!! 巻きこまれまス!!

む…

ズズーン…

!?
大……
佐じゃないよな
さっきのメガネじじい？

安心したまえ
今ごろマスタング大佐は父上の所だ
五体満足かどうかは保証せんがね
さて…
ボタ
私はごらんの通りの有様だ

討ち取って
名をあげるのは
誰だ？
合成獣か？
よそ者か？
マスタングの
犬か？
それとも
……
全員で
かかってくるか？

なんだ これ…
ごく…
真下…
?
ボロボロのおっさん一人に勝てる気がしねぇ…
…あの穴の下…
何?
メイが「この真下にいる」って言ったとたんメガネのじじいがうろたえだした
「あのお方の邪魔はさせん」ってよ
どうやら・・この下には行ってほしくないみたいだぜ
ほう…
あれ・が・中心で

ゴキン
この下にいるか
ドッ

ズズズズ
ズズ
ズズ
ズズズズ

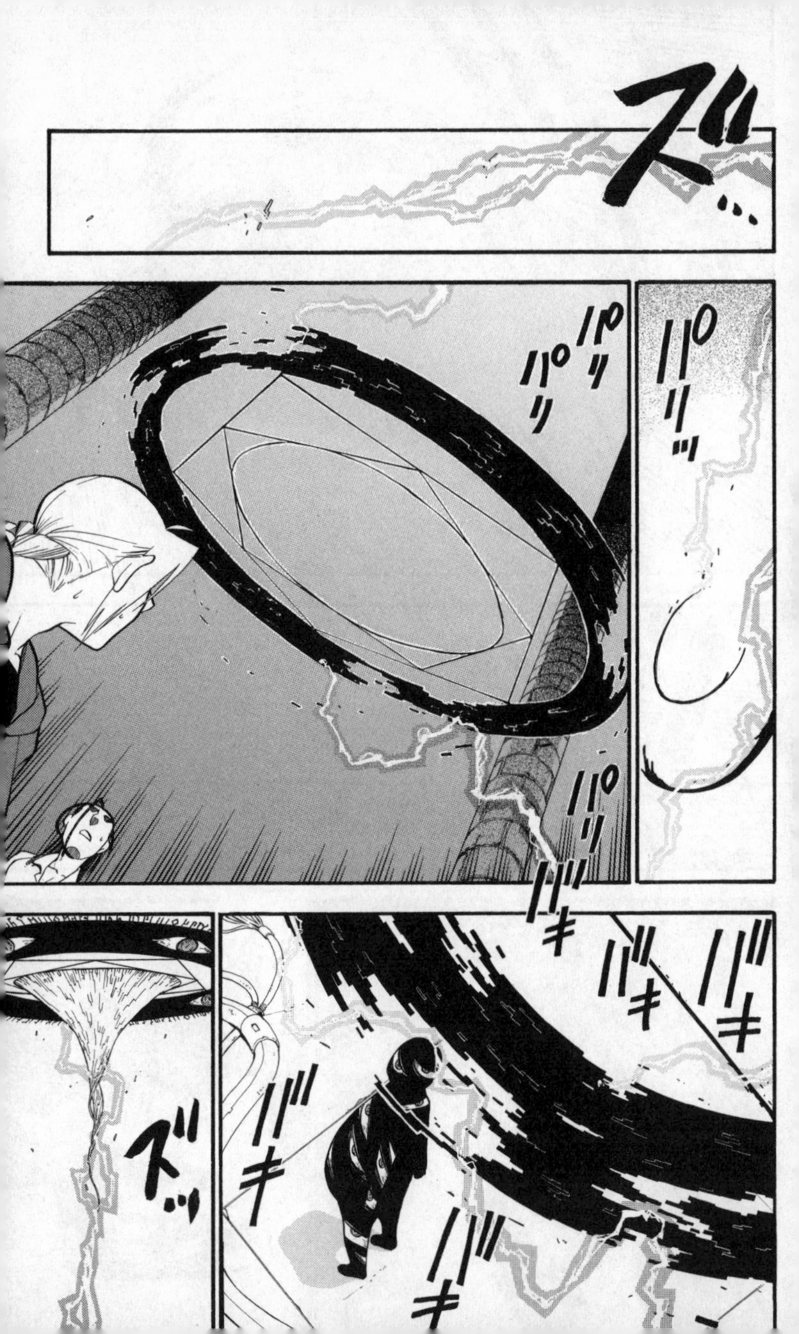

ズ…
パリッ
パリ
パリ
パリッ
バキ
バキ
バキ
バキ
バキ
ズッ

ドシャーーッ
がっ
大佐!?
ズ…

ずる…
ストン
パキ
パキ
5人目です父上
うむ
5人揃った…と言いたいところだがアルフォンス・エルリックがこちらに来ていない
う…っ…
大丈夫かよ大佐！

鋼のか…
ズキズキ
どこだ ここは
親玉の所だよ！
大佐は何があったんだ
…まっ白い空間の大きな扉の前に放り出されて…
扉!?
どこ持ってかれた!!
足あるか!? 手は!?
おわっ
何をする!!
そこにいるのか鋼の!!
は？
何言って……
まっ暗で何も見えん
ここはどこだ？明かりは？

……何も

見え……ん

ガッ

ふら…

!! ズ

ジャ

ま…

さか…

目が見えないのですか？
それはいい
正直 今の国家錬金術師の中では貴方の能力が一番やっかいですから
……そこで打ち拉がれていなさい
真理は残酷だ

身の程をわきまえず亡き家族を甦らせ母の温もりを求めた者は…
立ち上がる為の足とただ一人の家族を持って行かれ
もう一人は温もりすら感じられぬ姿に
失くした子を求めれば二度と子を与えられぬ身体に…
そして…
国の先を見据えた者は視力を持って行かれ
その未来を見る事がかなわなくなった
人間が思い上がらぬよう正しい絶望を与える
それこそがおまえ達人間が神とも呼ぶ存在…
「真理」だ

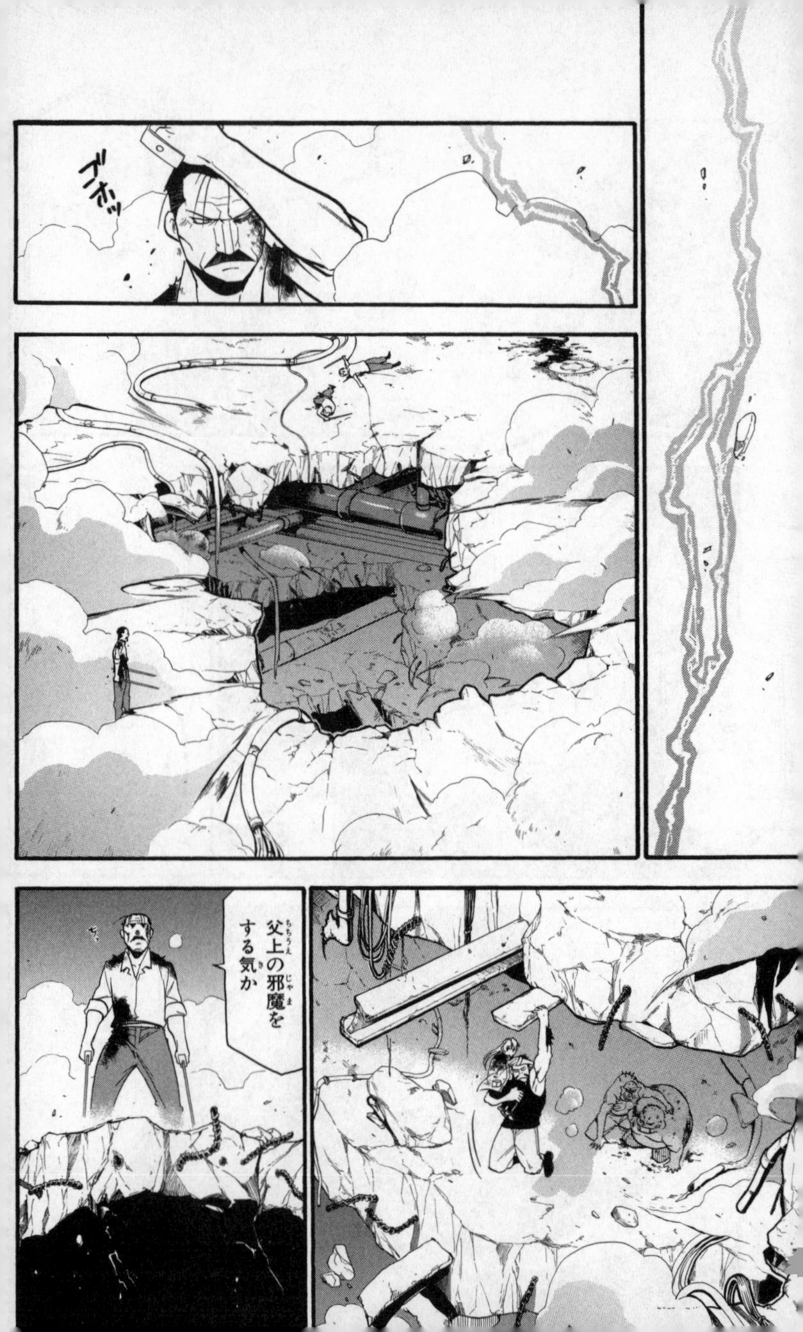
ゴホッ
父上の邪魔をする気か

ダッ

ガガガ
ガガガッ
ガッ
ギッ
ガガ
ゴッ
パァン
ザザザ
ザザザ

そうか…
私の最期の相手は〝破壊する者〟か
貴様
本当の名はなんと言う？
……名は無い
捨てた
そうかね
よっこら
それは奇遇だな
私も己の本当の名を知らん

ビッ
名無し同士殺し合うのも
面白かろう
ズッ
…
！

ドドドドドドドド
ト
トッ
トーン！

メイ!!
いタ!
ドドドド
ドドド
ザラ
ザラ
外見は変わってますがその気配…不老不死の親玉さんですネ?
ガラ
ガラ
ガラ
あの娘…
!
どうしたんですかアルフォンス様!
わからない意識が無いようだ
私の家に穴を開けるとは…
アルフォンス様起きテ!
アルフォンス様!

フラ……
身体……
ガシャ
ガシャ
ボクの
身体だ…
ガシャーン

ずっと待ってた
おかえり

!
……なんだよ この細い腕……
骨と皮ばかりで…
立ってるのが やっとじゃないか…
こんな…

ガシャン
こんな身体で今闘えるわけない!!!
みんな闘ってるのに……
肉体とひとつになるのが嫌なの?
そんなわけないだろ!!

ずっと!
ずっとずっとずっと
元の身体に戻る事を考えてきた!!!
それなのに!!
今は…ダメだ…
そんな身体じゃダメなんだよ…!!
あっちに戻りたい?
ギぃぃ…
その身体であっちに戻りたい?

行くなら止めない
あ……

ぎぎ
ごめん!!
また来るから!!
ぎぎ
もう少しがんばってて!!
ぎぎ
必ず来るから!!
ぎぎ
ぎぎぎ
絶対!!
約束する!!
仲間を
助けるために
長年捜し続けた
肉体を置いて行く…

気高いボクの魂よ
君の容れ物として誇りに思う
ぎぎぎ
——けど…
君が戻る事でこの世が絶望に満ちてしまうかもしれないんだよ
CORPVS
1
SPIRITVS
2
Antimonium
アルフォンス
ゴウン

パ!!
ガガガ
ガガガ
アル!?

ぶはぁ!!
アル!
兄さん!?
よかった
戻れた!
アルフォンス様!!
…って
ここ……
!

5人
揃った!!!

FULLMETAL
ALCHEMIST

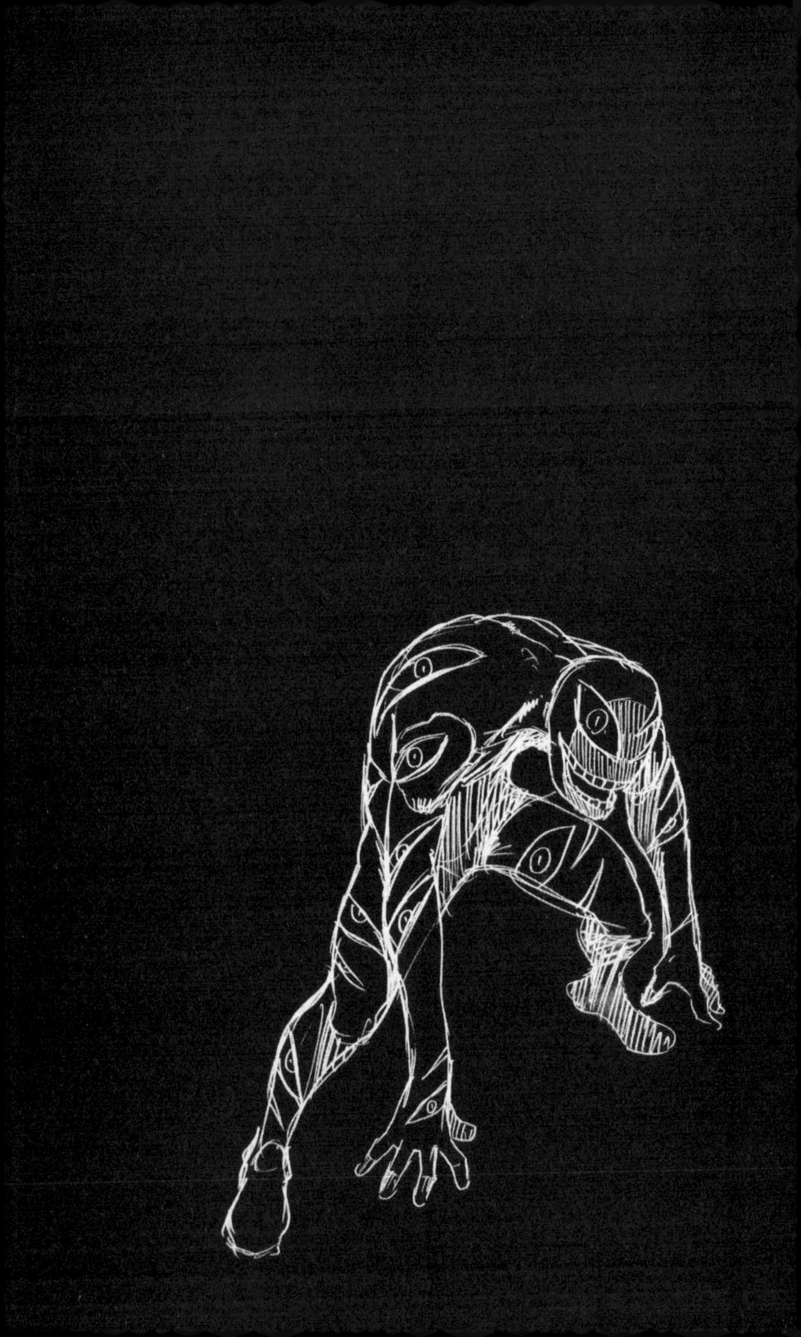

クーン…
O CAPITAL
セリムがどこにいるかまだわかりませんか!?
主人のその後は!?
まだどこからも情報は入ってないですね
なんとか主人に会えないでしょうか…
……今出て行けばどこで反大総統勢力にかち会うかわかりません!
いけません!

そう…
……
そうですよね
会わせる訳にゃいかないよな
相手は人造人間だ
夫人が出てったら利用されるか殺されるに決まってる
よくここがわかったわねブロッシュ軍曹
ええ！ラジオでロス少尉の声が聴こえたので！
中にいるテロリストが知人かもしれないって外の中央兵に言ったんです
そしたら「説得してこい」「うまくいかなくても局内の戦力を探ってこい」って…
RADIO CAPITAL

貴方がマスタング派に引き込まれる事態は想定してないのかしら
いや…俺さっきまでガチでアンチ マスタングでしたから…
すんません
そうだ大佐は？
ここにはいないわ
今ごろ中央司令部に潜入してるはずよ
ズズ
ズズズズズズ
そんな……

大佐の目が……

第103話
誰のため

完全に見えないのかい？
……そのようだ
扉を見たって事は人体錬成やっちまったのかよ大佐
私がそんな事をすると思うか!?
……だよな
なんとしても言う事を聞いてくれないので強制的に扉を開けさせてもらいました

結果オーライというやつですね
これで一番やっかいなマスタング大佐の戦闘力は0に等しくなりました
納得いかねえ!!
てめぇさっき「正しい絶望を与えるのが真理だ」って言ったな
まぁオレ達みたいに自発的にやらかしたのは納得するさ
だがする気のない奴が無理やり人体錬成に巻きこまれて視力を持ってかれて…
それを正しいと言うのか!

そんなスジの通らねぇ真理は認めねぇ!!!
おまえが認めなくとも現実としてこうなった
事実を認めよ!錬金術師!
残念ながら…
ガシャ
あきらめの悪いタチでね!
……とは言えあいつら両方相手にしなきゃならねーとは…
人柱が揃ってちゃまずいんだろ?
逃げ…
逃げられんよ

おまえ達はすでに私の腹の中だ
ズズズ
ズズ
ズズズ
なんだこりゃ…
この中に「あのお方」だか「父上」だか呼ばれてる奴がいるのか？
ズズズ
今ごろマスタング大佐は父上の所だ
五体満足かどうかは保証せんがね
………

そこの目玉まみれさン…不老不死なのですよネ？
否定しませんカ…
………
アルフォンス様
あれは私がもらいまス

え!?
ちょっ…
あれは一人じゃ無理でしょ!!
お二人には小さい方の人造人間をお任せしまス
小さい方って…
あれも十分やべーんだぞ
「強制的に扉を開けた」だと?
……!?
そんな荒技が使えるならオレ達みたいに自ら人体錬成をやらかした奴を待ってる必要は無いじゃないか
強制的に片っ端から錬金術師を捕まえて扉を開ければいいのに……
なぜ今までやらなかった?

鋼の
気付いたか
私を錬成に
巻き込んだ時
奴は
「この手は
使いたく
なかったが
仕方がない」と
言った
……奴らにとって
ハイリスク…
…って事か
………
行ってみっか

パ
ドドドドドドド
よっしゃ…術は使える!!

だぁりゃあああ
ああああああ
ドガガン
トトッ
逃げた!!

今まであらゆる攻撃を黒い影でかわしてきた奴が…
逃げた!!
また私の家を壊してくれたな
困った奴らだ…
…お？
不老不死
いただきまス!!

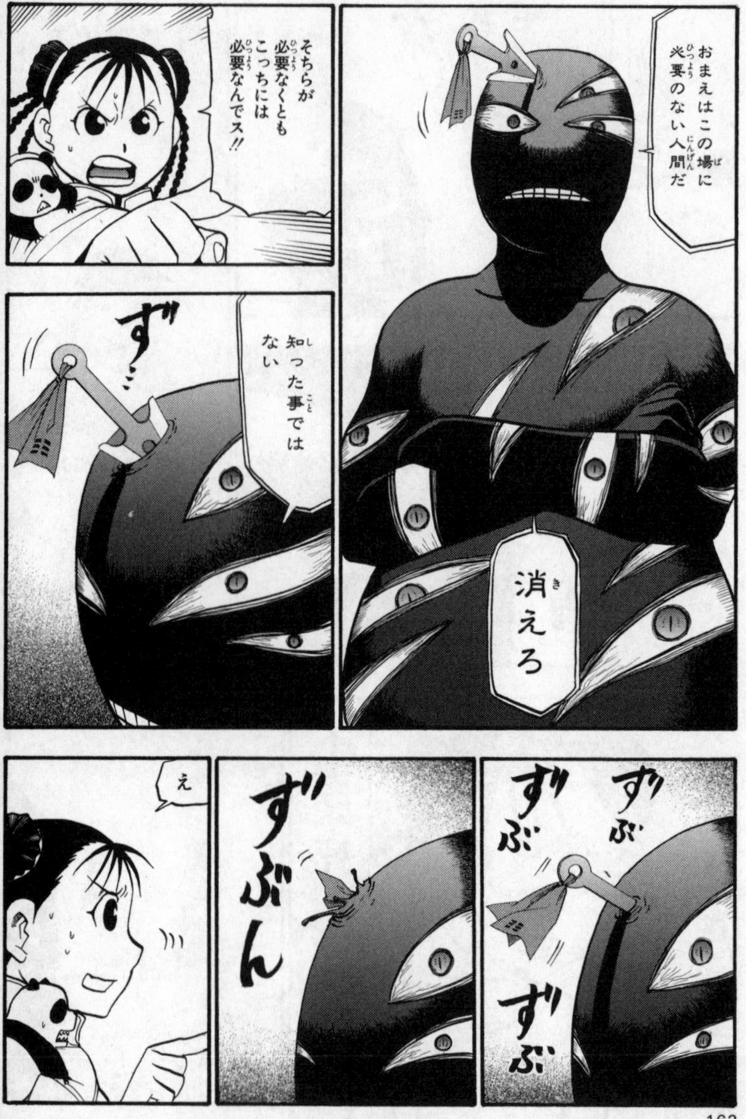
おまえはこの場に
必要のない人間だ
そちらが
必要なくとも
こっちには
必要なんでス!!
消えろ
知った事では
ない
ず
ずぶ
ずぶ
ずぶ
ずぶん
え

返すぞ
ず

タ
タッ
なかなかやりますネ！
む…ぐ…
ぬおっ
ぶはぁ!!
だめだお嬢さん!!
こいつはノーモーションで…

カッ

お〜〜〜〜〜
だいぶん欠けたな
ちょっと寒くなってきた
いつになったら工事再開できるんスかね
わからん
憲兵に訊いても「建物から出るな」の一点張りで何も教えてくれねぇし
本当にクーデターかねぇ？
今のうちに荷物まとめて逃げといた方がいいかな…
！
あれ…
イシュヴァール人じゃねぇの？

どうなってんだ司令部は!!
わかりません 情報が混乱していて……!!
通信もつながりません!
だったら走ってって情報拾って来い!!
作戦本部はまだブリッグズ兵によって占拠されているようです
あとイシュヴァール人がその辺をうろちょろしてますね
奴らテロかますってうわさがあるからな!
とりあえず片っ端から捕まえとけ!!
おごっ

野郎!!

失礼!

説明している ヒマは 無いのでな
ゆるせ
どうせ 説明したって こいつら 信じないでしょう
片付いたぞ! それ 持って来い!
!
はい!

コンコン
コンコン
コンコン
はぁい
どちら様？
ドカドカドカドカ
きゃあああ!!!
きゃああああ
きゃああああ
失礼
奥さん
何もしないから
ひとつだけ
教えて
この家
きゃ…
この位置で
間違い
ないですか
え？
イシュヴァール人だ…
はい…
そう…です

うわ
みるみる暗くなってく
皆うまくやってるかな
ざわ
ざわ　ざわ
ここでいいんだよな？
ああ間違いない！
誰もいない倉庫の中で助かったぜ

さぁて…
たのむぜ
傷の男(スカー)…！
ゴウン
ゴウン
ゴウン
ゴウン
ゴウン
ジリ…

ジリ…
ジリ…
ポタ…
こうして死に直面するというのはいいものだな
純粋に「死ぬまで闘い抜いてやろう」という気持ちしか湧いてこん
地位も
経歴も
出自も
人種も
性別も
名も何も要らん

何にも縛られず
誰のためでもなくただ闘う
それが心地良い
ああ…
やっと辿りついた……

ドォッ
ザ

ぬおう!!

どうした!!
それが貴様の本気か!!
足りん!! 全くもって足りんぞ!!
私を壊してみせろ
名も無き人間よ!!

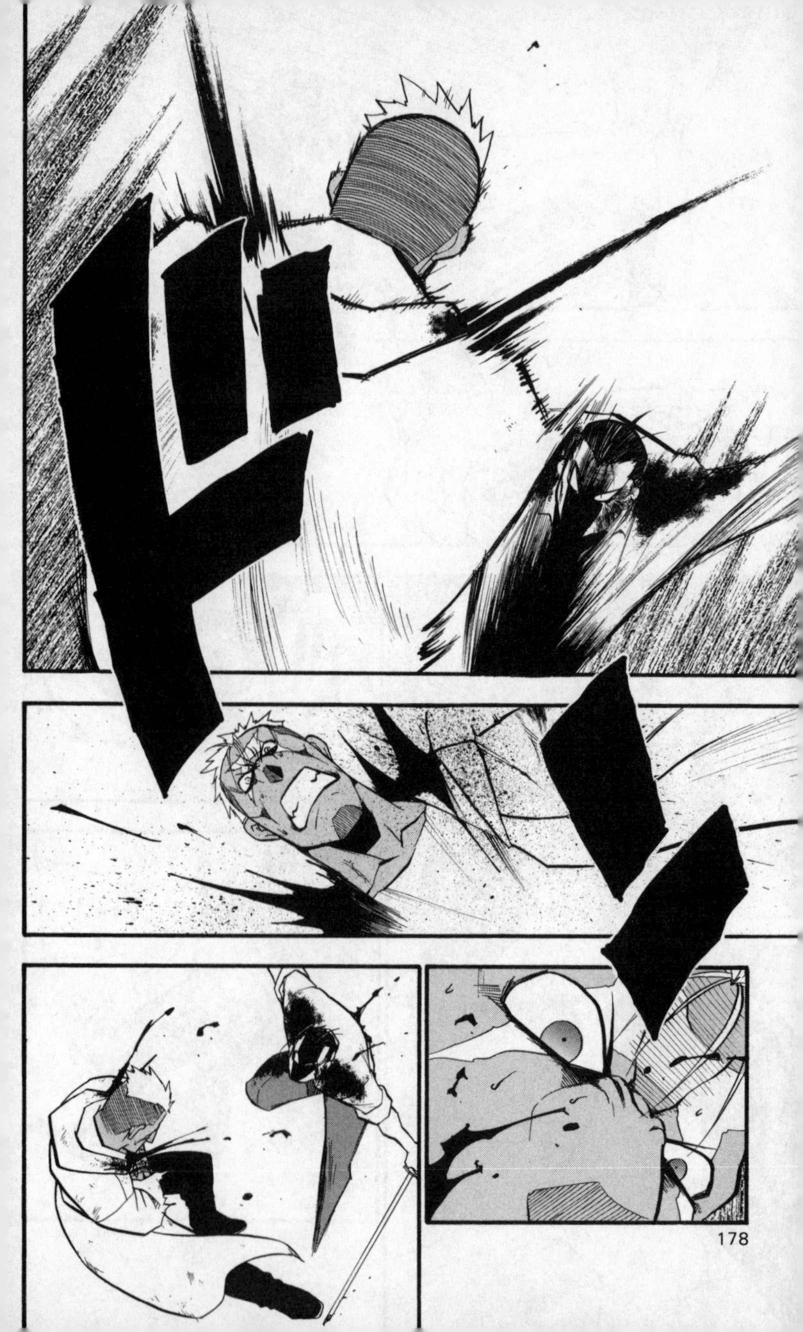

グラ…
!!
ガ
ガッ

ぐおっ…

ドッ

ズシャアアアアアア
パリッ
完全にノーマーク…
グ…
…といった顔だな
そうだろう
己れがこんなものを使うなど……
少し前まで己れ自身も想像していなかった
ズブッ

IGNIS
E
Colas

鋼の錬金術師25　おわり

掲載・月刊少年ガンガン平成21年11月号〜平成22年2月号

弱点 むきだし
最・強!!!
私
煙攻撃
ばたばた
ばたばた
あ目っ
しみる!!
ぎゃあああああ
いたああああ
花粉攻撃
もふぁ
やめてえええええええ!!!
じょば
もっふもっふ
精神攻撃
びくっ
さかさまつ毛
びびくっ
コンタクトレンズにごみ
びびびくっ
タマネギのみじん切り
じょっ
わるいこと言わないからフラスコの中に帰れ
なっ
アメちゃんやるから
人間界はこわい所です
うっうっ…
ぐすん

虫メガネ攻撃
じじ
じじじ
あぢぢぢぢぢぢ
目ぇやめて目ぇ!!!
黒いからよくもえる

PSPのRPGが出るよ!

今度出るPSPのゲームはなんと!! 本編では見られないゲームオリジナル展開のイラスト満載です!!!
なにイイイイオリジナル展開だとぉおおおお!?

メイドコスプレはあるのか!?
あります!!
ナースとか女医さんは!?
あります!!

すてきなお嫁さんハ!?
あります!!
ドキ☆女の子だらけの露天風呂は!?
あります!!

オレの身長が伸びてモテモテは!?
ありません!!
つーかゲームオリジナルって前提なのにそう言っちゃうってことは「本編でそんな展開ありえない」って自分で言っちゃってるようなものだよ!!!

ウホ ウホ
動物園のにおいがする…
ケロ ケロ

鋼の錬金術師 25
すぺしゃるさんくすー

杜康 潤 さん
水谷 麻志 さん
くぅぽん さん
坪田 典子 さん
金子 一文 さん
坂野 光里 さん
佐倉 まなつ さん
髙枝 景水 さん

担当 下村 裕一 氏

AND YOU!!

は訪れる…。
HAGANE no RENKINJUTSUSHI no.26
第26巻
予告
Fullmetal Alchemist
The announcement of new book
希望の光さえ届かない
闇に覆われた、その場所で
世界の終わりが始まるのか!?
鋼の錬金術師
2010年8月発売予定!!
乞うご期待!!

そして、その時
CHICKEN
LAMB
2
FO

ガンガンコミックス

鋼の錬金術師 25

2010年4月22日 初版
2011年3月1日 8刷

著者　　荒川弘

発行人
田口浩司
発行所
株式会社スクウェア・エニックス

〒151-8544 東京都渋谷区代々木3-22-7 新宿文化クイントビル3階
〈内容についてのお問い合わせ〉 TEL 03(5333)0835
〈販売・営業に関するお問い合わせ〉 TEL 03(5333)0832
FAX 03(5352)6464

印刷所　図書印刷株式会社

ISBN978-4-7575-2840-6 C9979